De duif
die niet
kon duiken

Edward van de Vendel

Illustraties van Alain Verster

DE EENHOORN

Dit is het verhaal van Telemark,
de duif die niet kon duiken.

Hij kon het echt niet en hij kon het helemaal niet.
Het was hem nooit gelukt en het zou hem ook nooit lukken.
Maar vandaag was het afduiken.
Voor een diploma.

De jonge duiven moesten van de dakgoot naar beneden, een voor een. Ze moesten naast de tafeltjes van de etende mensen terechtkomen. En dan een korstje mee naar boven nemen, of een kruimel, maakte niet uit.

Een eindje verder, op de geveltribune, zaten alle vaderdoffers en moederduiven te kijken. En 's avonds was er feest.

Maar niet voor Telemark.

Want hij kon het dus niet, dat wist hij zeker.

En hij was al bijna aan de beurt.

Nog zeven duiven.

Ohhh.

'Savooieduif ...
Op je plaats ...
Klaar ...
Af!'

Als Telemark dook, raakte hij halverwege de richting kwijt. En er was ook iets met zijn ogen, want de kruimel die hij van hoog nog had gezien, was opeens wazig en weg.
Telemark landde wel op zijn poten, maar nooit op de plek waar het eten lag. Dan moest hij het laatste stukje lopen, en dan waren de mussen op de grond natuurlijk sneller.
Telemark kwam altijd zonder korrels terug.
'Ha, ha,' lachten zijn vrienden, en ze noemden hem Schelemark.
Hoeveel duiven nog?
Zes.

'Savooieduif ...
Eindcijfer: acht.
Geslaagd!'

'Duif Gellicum ...
Op je plaats ...
Klaar ...
Af!'

Soms kwam Telemark op een mens terecht.

Verschrikkelijk.

Mensen trappen naar je, dat sowieso. Maar als je ze raakt, springen ze overeind.
Ze dansen met hun hele mensenlijf. Ze gooien stoelen om. Ze maaien en zwaaien.
Mensen hebben lange dingen van vlees, armen en benen, en die dingen wieken
alle kanten op als ze een duivenpootje voelen. Mensen zijn de gevaarlijkste
wezens die er bestaan.

Telemark was er al drie keer per ongeluk tegenaan gevlogen.

Eén keer raakte hij met zijn tenen verstrikt in een rare bos haar.

Een andere keer zat er een pet tussen, die afviel, en toen viel Telemark ook.

En de laatste keer kreeg Telemark een mep. Hij trok nog drie dagen met zijn linker-vleugel. Bovendien had hij koppijn. Vanwege het schreeuwen van dat mens, vlak bij zijn oor.

Ohhh.

Hoeveel duiven nog?

Vijf.

'Gellicum ...
Eindcijfer: zeven.
Geslaagd!'

'Roboduif ...
Op je plaats ...
Klaar ...
Af!'

De meesters en de juffen hadden het zacht geprobeerd, én hard.
Juf Jujube bijvoorbeeld. Die legde vooraf een vleugel om zijn nek en
achteraf ook. Die vloog met hem mee. Die stuurde bij van een afstandje,
en ze huilde als Telemark weer eens op een schoen terechtkwam in plaats
van in de kruimels.
Maar dat hielp allemaal niet. Bovendien verhuisde ze naar het
Centraal Station van Brussel, omdat ze daar een duif ontmoet had
die Koemkwat heette.

Meester Hellevoet S. had een andere aanpak.

Hij schreeuwde: 'Het is je duivenplicht! Het is je duivenhuiswerk!'

En: 'Je moet naast de mensen. Naast de mensen. Hoe vaak heb ik het nu al gezegd?'

'Twee keer,' zei Telemark.

'Niet op de mensen! Nee! Naast de mensen!'

'Drie keer,' zei Telemark.

En daar werd meester Hellevoet S. nog harder van. 'Luizenduif!' bulderde hij.

'Verdoffer je!'

Nee, het maakte niet uit, zacht of hard – niets hielp.

Vier duiven nog.

'Robo ...
Eindcijfer: acht.
Geslaagd!'

'Duif Stuurboord ...
Op je plaats ...
Klaar ...
Af!'

'Verdoffer je.'
Dat zei de meester. Telemark moest zichzelf verdofferen.
Hij moest zich als een echte mannetjesduif gedragen.
Maar Telemark hield van snavelworstelen en van hoogfladderen, net als
de andere dofferjongens. Dus hoe moest hij dan nog mannelijker worden?
Moest hij vaker vloeken, net als ouwe Zorba die op de vuilnisbelt woonde?
Moest hij elke dag een rijtje mussen overhoopvliegen, net als Mankepoor
de Mekkeraar, de doffer met de gemeenste lach van de stad?

Moest hij tegen Doefje zeggen dat hij haar veren mooi vond,
en haar kopje,
en haar ogen?
Misschien. Maar dat durfde hij niet.
Nee, hij wist het heus wel. Verdoffer je – dat zeiden ze
omdat hij nog steeds geen kruimel had weten op te duiken.
En nu was hij bijna aan de beurt.
Over drie duiven al.
Ohhh.

'Stuurboord ...
Eindcijfer: zes komma twee.
Geslaagd!'

'Dikke Tex ...
Op je plaats ...
Klaar ...
Af!'

Ai, mama.

Mama Aviva.

Ze wilde zo graag dat hij een graantje voor haar pikte.

Eentje maar.

En papa.

Papa Kap. Die was de duikkampioen van tweeduizendéén tot tweeduizendvijf.

Hij had er medailles van.

Maar nooit zei hij iets onaardigs tegen Telemark. Hij keek alleen maar zo ...

zo ...

zo stil.

Daar zaten ze op de tribune. Papa en mama. Ze beten op de zijkant van hun bek.

Van de zenuwen.

Twee duiven nog maar.

Dan kwam hun zoon.

'Dikke Tex ...
Eindcijfer: zeven min.
Geslaagd!'

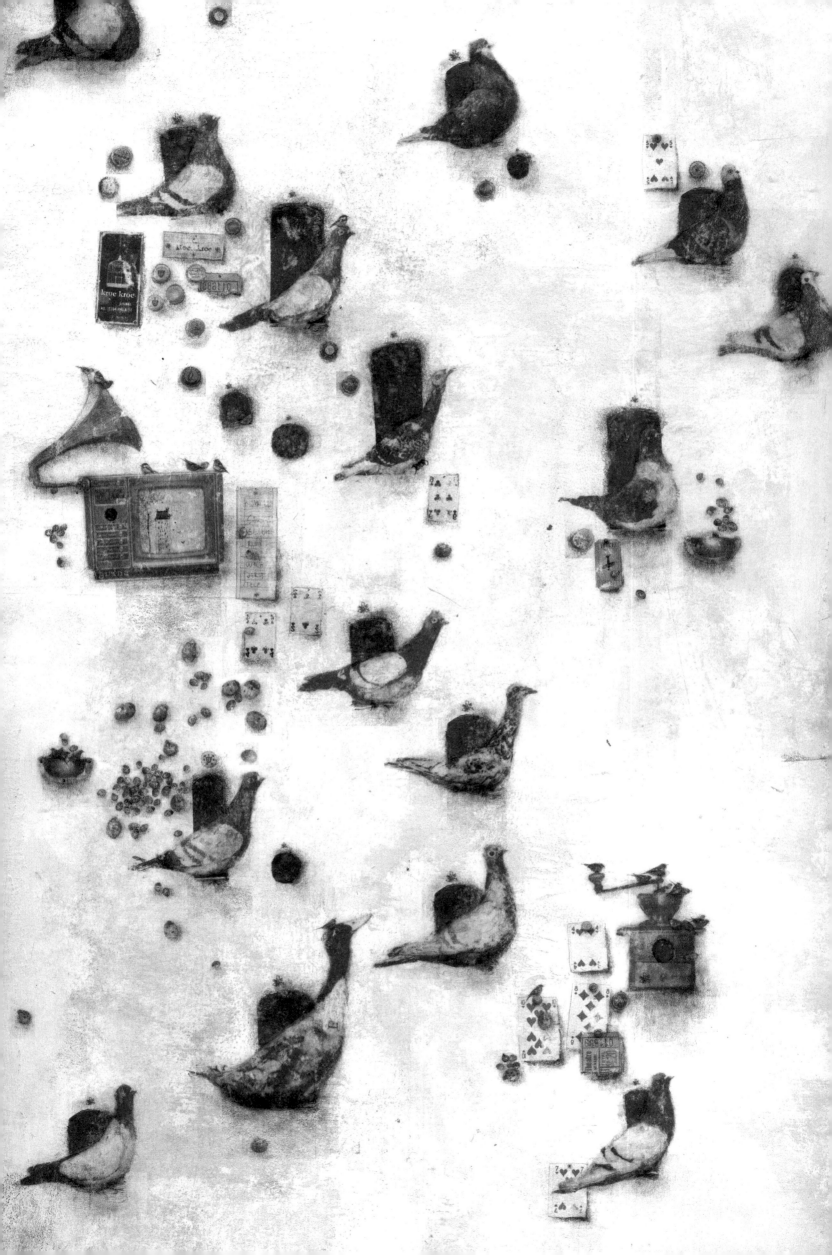

'Jari L ...
Op je plaats ...
Klaar ...
Af!'

Vannacht had Telemark gedroomd van verre wolken. Hij droomde dat hij wegvloog, langs de kerktoren. Door onbekende luchtstromen, heel ver over de daken, heel ver over het water. Tot zijn vleugels moe werden, tot hij de enige oplossing vond die hij in zijn droom had kunnen bedenken: een duivenomaatje.

Je schaamde je kapot, maar een duivenomaatje voederde alle slappe duiven. Uit haar hand. Ze kwam elke dag en je hoefde niks meer te doen. Telemark had erover gehoord, en papa Kap had zo'n mensenomaatje wel eens aangewezen.

Maar papa Kap spuugde bijna als hij Telemark erover vertelde.

De zwakte! De schande! Je verlagen tot een mens – dat doe je niet!

Dus toen Telemark vanochtend wakker werd, wist hij dat hij dat ook al niet kon, wegvliegen. Zijn ouders in de steek laten. Doefje in de steek laten. Hij was echt een duif van niks.

Hij had alvast een eindcijfer voor zichzelf bedacht.

Alleen Duif Duits Pruisen nog maar, en dan zou hij het de jury horen roepen: 'Nul!'

'Jari L ...
Eindcijfer: achtenhalf.
Geslaagd!'

'Duif Duits Pruisen ...
Op je plaats ...
Klaar ...
Af!'

Het geeft niet.
Hij had geprobeerd dat tegen zichzelf te zeggen.
Hij had geluisterd naar zijn oom en tantes, die hem wilden troosten.
Joh, jij kunt weer andere dingen, zeiden ze.
Jij hebt toch een mooi recht nekje? (Dat zei zijn tante Boterbes.)
Jij kan toch goed stoer koeren? (Zijn andere tante, Folia.)
Jij remt toch zo lekker scherp, met die jonge poten van je? (Hoover, zijn Schotse oom.)
Maar dat was allemaal niet belangrijk.
Dit ging om groter worden.
Dit ging om niet achterblijven.
Dit ging om de rest van zijn leven gegiechel achter zijn kont – of niet.
Het geeft niet?
Het gaf ontzettend wél!

'Duif Duits Pruisen ...
Eindcijfer: ergens rond de zes.
Geslaagd!'

'Telemark ...
Op je plaats!'

Telemark schuifelde over de dakgoot naar zijn plek.
Hij keek omhoog. De zon blies zichzelf op, nu was ze een zon met de bof.
Hij keek omlaag. Daar beneden zat het vol met wilde mensen.
Hij keek opzij. Hij zag papa, mama, Doefje. Zijn vrienden die hun adem inhielden.
Of hun lach.

'Klaar ...
Af ...'

Het werd leeg in zijn kop. Hij kon niet duiken, hij kon niks, maar wat deed hij?
Geen idee. Hij fladderde omhoog! 'Neeeeee,' riepen de andere duiven, maar Telemark
hoorde het niet.
Hij draaide naar boven en zijn hersens waren van lucht.
Hoger, hoger, hoger!
'Neeeeee,' riepen de duiven.
Toen gebeurde het.

Telemark
liet
zich
vallen.

Telemark deed wat geen andere duif ooit had gedaan. Hij vouwde zijn vleugels samen
en werd een vallend bolletje. Ik weet het niet meer, echoode het in zijn kop, ik kan
gewoon niks, dus ik doe gewoon niks, gewoon niks, gewoon niks, gewoon niks ...
'Neeeeeeee!' riepen zijn vrienden en Doefje en zijn ouders en iedere duif in de stad,
maar Telemark
zakte
en zoefde
en donderde
ondersteboven ...

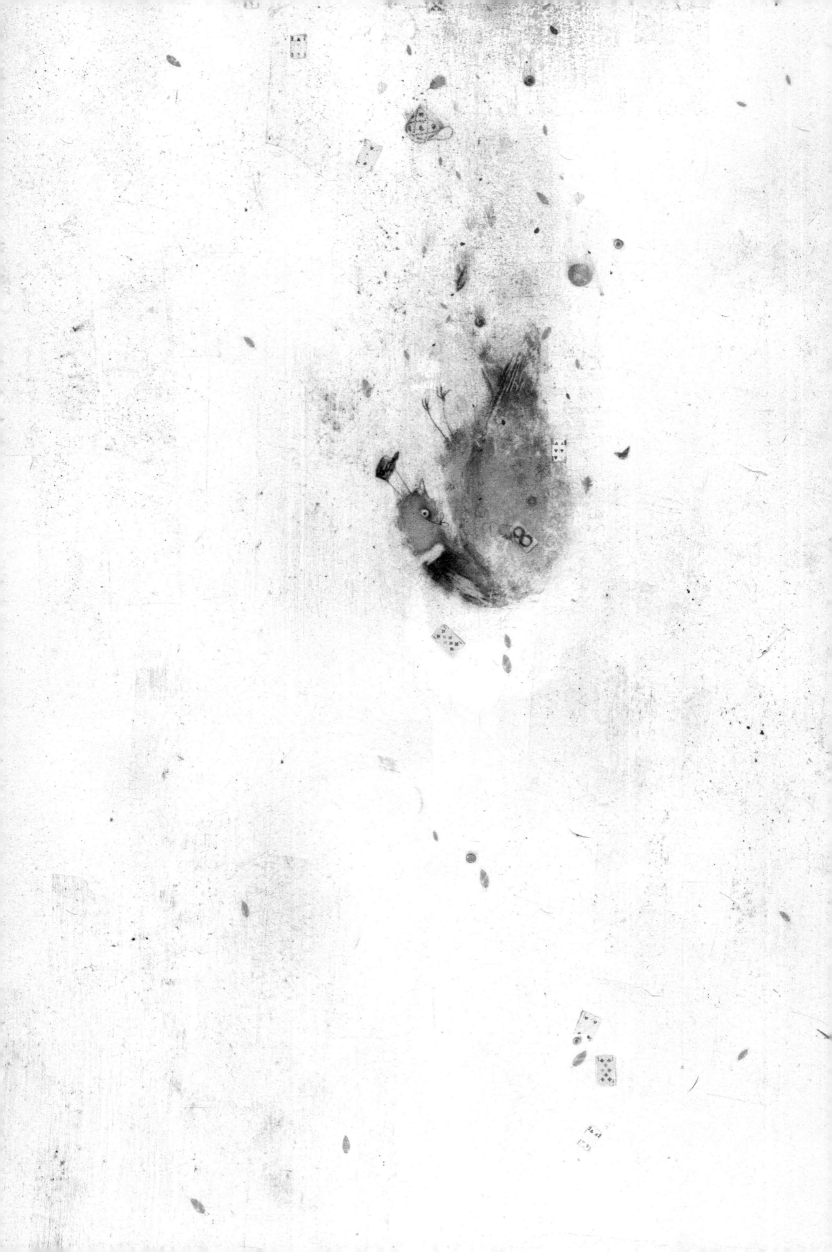

... in een bak sla.
Die op een tafel stond.
Telemark sloeg met zijn vleugels en trappelde zichzelf
van de schrik overeind. Er zat olie aan zijn poten en
de blaadjes vlogen in het rond. Er hingen uienringen
om zijn nek en daar gingen de tomaten en de paprika
en overal pijnboompitten en o,
het was zo eng en verwarrend,
maar ... ook ...
... fijn?

Want de mensen van het tafeltje schoven hun stoelen achteruit en keken met grote ogen naar dit enge, enge dier.

Ze stonden verbijsterd op.

Ze renden weg.

Opeens zat Telemark helemaal alleen op het tafeltje, midden in het lekkerste eten dat er bestond.

Savooieduif en Gellicum en Robo, Stuurboord, Dikke Tex, Jari L. en Duif Duits Pruisen landden naast hem. Ze juichten en ze pikten naar de sla en de olijven en het was opeens feest. Groen feest!

Mama Aviva kwam naar beneden. Telemark voelde een brokje van het een of ander op zijn rug, en hij pakte het en gaf het haar. Geitenkaas.

Daar was ook papa Kap. Telemark keek naar hem, en papa Kap keek terug, zo ... ja ... zo trots. En wat had papa in zijn bek? Een medaille?

Toen schalde de stem van meester Hellevoet S. van boven uit de dakgoot:

'Telemark ...
Eindcijfer: tien.
Geslaagd!'

Die dag vond Telemark het saladevallen uit.

Sindsdien wordt de saladeval door duiven over de hele wereld toegepast. Via de
haven van Antwerpen woei het overzee. Saladeduikers zijn in de vroege jaren gezien
in Londen en in New York. Italië volgde snel: Milaan, Napels, Torino, Rome en
natuurlijk Bologna. Maar inmiddels gebeurt het overal: bij de Taj Mahal en in
Ougadougou City. De mensen zijn nog altijd weerloos. Ze weten niet wat ze ertegen
moeten doen. Ze lopen weg van hun tafeltjes en de duiven hebben vrij spel.
En dat begon dus bij de duif die niet dook, maar donderde.
Bij Telemark.
Ook al zei hij nog jaren dat hij het niet kon. Dat hij het echt helemaal niet kon. Dat
het duiken hem nooit zou lukken, want het was hem ook nog nooit gelukt. En dat
dat diploma dus eigenlijk niet eerlijk was. Dat hij eigenlijk niet van plan was geweest
om de saladebak te raken. En ook het tafeltje niet. Hij had niet meer nagedacht, het
was per ongeluk gegaan. En dat hij natuurlijk wel blij was, maar toch, maar toch ...

Maar dan legde Doefje altijd haar snavel tegen die van Telemark, en dan zei ze: 'Stil maar. Je deed wat je deed, omdat je niet kon wat je niet kon. En dat geeft dus niet. Echt, liefje. Dat geeft zo ontzettend niet.'

CIP-gegevens
Koninklijke Bibliotheek Albert I

© tekst
Edward van de Vendel

© illustraties
Alain Verster

vormgeving
quod. voor de vorm.

druk
Oranje, Sint-Baafs-Vijve

© 2011 Uitgeverij De Eenhoorn bvba, Vlasstraat 17, B-8710 Wielsbeke

D/2011/6048/14
NUR 274
ISBN 978-90-5838-691-5

www.eenhoorn.be